En Español

Estructuras extraordinarias

El túnel ferroviario Seikan
El túnel más largo del mundo

Mark Thomas

The Rosen Publishing Group's
Editorial Buenas Letras™
New York

Published in 2003 by The Rosen Publishing Group, Inc.
29 East 21st Street, New York, NY 10010

First Edition in Spanish 2003
First Edition in English 2002

Book Design: Laura Stein

Photo Credits: Cover, 18–19 © Toyoo Ohta/Uniphoto Press Int'l; p. 14, © Kyodo News; pp. 4–6, 21 © Fujifoto/The Image Works; pp. 10–11, 15 © Bettmann/Corbis

Thomas, Mark, 1963–
    El túnel ferroviario Seikan: El túnel más largo del mundo / por Mark
    Thomas ; traducción al español: Spanish Educational Publishing
    p. cm. — (Estructuras extraordinarias)
    ISBN 0-8239-6867-7
    1. Tunnels—Juvenile literature. [1. Seikan Tunnel (Japan) 2. Tunnels—
    Japan. 3. Spanish Language Materials.] I. Title. II. Series: Thomas,
    Mark, 1963- . Record-breaking structures.

    TA807.T47 2001
    624.1'93'0952—dc21

                                            2001000600

Manufactured in the United States of America

Contenido

El túnel más largo del mundo

El túnel ferroviario Seikan es
el túnel más largo del mundo.
Mide más de 33 millas (53km)
de largo. Se construyó para
facilitar los viajes en Japón.

Ubicación

El túnel ferroviario Seikan está debajo del estrecho de Tsugaru. Conecta las islas de Hokkaido y Honshu. Honshu es la isla más grande de Japón.

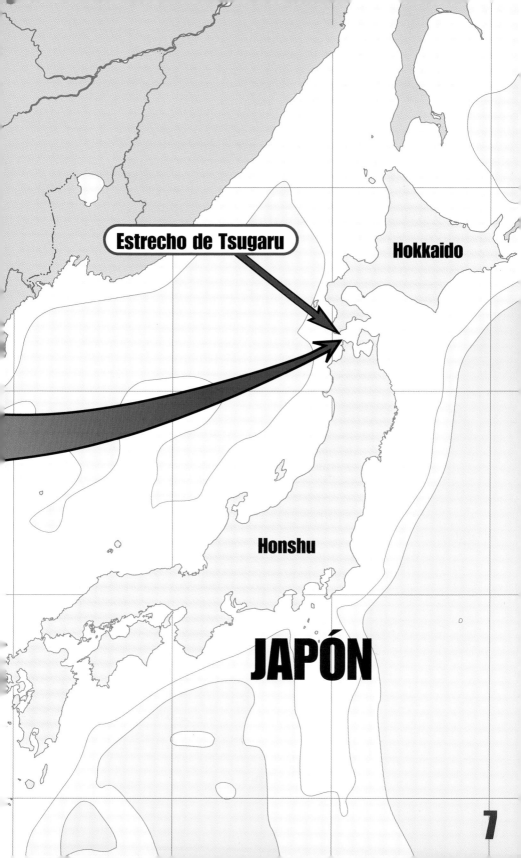

Estrecho de Tsugaru

Hokkaido

Honshu

JAPÓN

Construcción

La construcción del túnel fue difícil.
Tuvieron que excavar las piedras
que están debajo del agua.
Sacaron muchas toneladas
de piedras y de tierra.

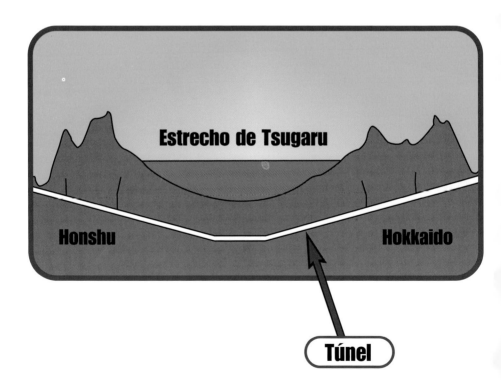

9

第4列車

Después de excavar el túnel
quedaba mucho más trabajo.
Los trabajadores viajaban
en vagonetas de ferrocarril
al lugar de trabajo.

El techo y las paredes del túnel tienen forma de tubo. Para que sean muy resistentes, les pusieron un forro de acero y concreto.

Forro

Las paredes del túnel están detrás
de ese forro. Las paredes son de
grandes piezas de concreto
y acero.

En las paredes del túnel hay cables
de electricidad para que el túnel
tenga luz. Los trenes eléctricos
que pasan por el túnel también
necesitan electricidad.

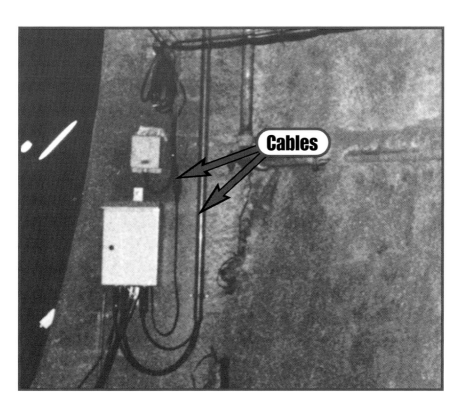

Cables

Por el túnel pueden viajar dos trenes en dirección contraria. Así viaja más gente.

Seguridad

El túnel es un lugar seguro y rápido para viajar. Antes de su construcción, se viajaba en transbordadores de isla a isla. No era seguro ni rápido, especialmente cuando hacía mal tiempo.

Una estructura impresionante

La construcción del túnel ferroviario
Seikan tomó 25 años.
Más de 13 millones de personas
trabajaron en la construcción.
Es una de las estructuras más
impresionantes que existen.

Glosario

concreto (el) mezcla de cemento y arena

electricidad (la) forma de energía que produce luz, calor o movimiento

estrecho de Tsugaru porción angosta de agua que conecta las islas Honshu y Hokkaido

forro (el) material que cubre

Hokkaido isla en el norte de Japón

Honshu isla más grande de Japón

trasbordadores (los) barcos que transportan personas, vehículos y demás

túnel ferroviario Seikan túnel más largo del mundo

Recursos

Libros
Building Big
David Macaulay
Houghton Mifflin Company (2000)

Towers and Tunnels
Etta Kaner y Pat Cupples
Kids Can Press, Ltd. (1997)

Sitios web
Debido a las constantes modificaciones en los sitios de Internet, PowerKids Press ha desarrollado una guía on-line de sitios relacionados al tema de este libro. Nuestro sitio web se actualiza constantemente. Por favor utiliza la siguiente dirección para consultar la lista:

http://www.buenasletraslinks.com/est/seikansp/

Índice

Número de palabras: 250

Nota para bibliotecarios, maestros y padres de familia

Si leer es un reto, ¡Reading Power en español es la solución! Reading Power es ideal para lectores hispanoparlantes que buscan un nivel de lectura accesible en su propio idioma. Ilustrados con fotografías, estos libros presentan la información de manera atractiva y utilizan un vocabulario sencillo que tiene en cuenta las diferencias lingüísticas entre los lectores hispanos. Relacionando claramente texto con imágenes, los libros de Reading Power dan al lector todo el control. Ahora los lectores cuentan con el poder para obtener la información y la experiencia que necesitan en un ameno formato completamente ¡en español!

Note to Librarians, Teachers, and Parents

If reading is a challenge, Reading Power is a solution! Reading Power is perfect for readers who want high-interest subject matter at an accessible reading level. These fact-filled, photo-illustrated books are designed for readers who want straightforward vocabulary, engaging topics, and a manageable reading experience. With clear picture/text correspondence, leveled Reading Power books put the reader in charge. Now readers have the power to get the information they want and the skills they need in a user-friendly format.